LE CALIFAT DU SANG

Pour Babette et Jean-Pierre,
avec une profonde affection

Alexandre.

DU MÊME AUTEUR

Le communisme, PUF, coll. «Que sais-je?», 2001.

J'ai vu finir le monde ancien, Grasset, 2002.

Au fil des jours cruels (1992-2002), *chroniques*, Grasset, 2003.

L'odyssée américaine, Grasset, 2004.

Rendez-vous avec l'Islam, Grasset, 2005.

Sociétés secrètes. *De Léonard de Vinci à Rennes-le-Château,* Grasset, 2007.

Le monde est un enfant qui joue, Grasset, 2009.

Le jour où l'histoire a recommencé, Grasset, 2012.

Quand les Français faisaient l'Histoire, Grasset, 2014.

ALEXANDRE ADLER

LE CALIFAT DU SANG

BERNARD GRASSET

PARIS

ISBN : 978-2-246-85457-9

Images d'apocalypse de ces hordes qui se rassemblent autour de drapeaux noirs évoquant tout à la fois la couleur préférée des SS et la piraterie de haut bord d'autrefois. Il y a quelque chose de parfaitement effrayant dans l'apparition de l'Etat islamique, Daech, ISIS en anglais (Etat islamique au Levant), puisque dans la régionalisation à laquelle al-Qaëda a procédé ces dernières années, un redécoupage du monde musulman est intervenu, qui considère l'Irak, la Syrie, le Liban et la Palestine comme une entité unique, le Levant. On compte aussi des filiales «autonomisées» d'al-Qaëda au Maghreb (Aqmi), dans la péninsule Arabique (Arabie Saoudite et Yémen) et, sans doute plus discrètes, en Egypte et au Soudan, dans la corne de l'Afrique (les Tribunaux islamiques de Somalie), au Pakistan et Afghanistan (les Talibans), en Indonésie, en Asie centrale et peut-être en Europe.

C'est dans cette entité géographique, qui s'étend de la Méditerranée au golfe Persique et englobe tout à la fois Beyrouth, Damas et Bagdad, qu'opère aujourd'hui un parti qui veut établir un « califat » sur le Levant. Ce projet est à la fois dans la continuité des idées d'Oussama Ben Laden, et dans une certaine rupture avec la direction internationale d'al-Qaëda.

Ces insurgés de l'Apocalypse sont capables du pire et ils commettent le pire. Ils rappellent ces gardiens de camps de concentration qui arboraient des têtes de mort sur leurs casquettes sous le IIIe Reich.

Ces jihadistes veulent tuer, mutiler, violer, piller, et ils le font.

La peur qu'ils inspirent évidemment, et pas seulement dans nos contrées plus apaisées, s'explique très bien. Les soldats irakiens, et ils ne sont pas tous sunnites, qui ont jeté leurs fusils et ont fui dès que les miliciens de Daech sont arrivés devant eux, ne sont pas les seuls à être saisis d'un effroi quasi mystique, d'une peur paralysante devant des êtres aussi résolus à mourir qu'à tuer.

Mais nous devons procéder dans ce livre à ce que les physiciens appellent un raisonnement «contre-intuitif». Le raisonnement contre-intuitif est en effet un raisonnement qui, tout en arrivant à rendre compte à terme de ce que l'intuition nous permet d'appréhender, la réfute spontanément au préalable.

Non, jamais les islamistes n'ont fait aussi peur. Leur médiatisation immense a un effet multiplicateur sans précédent du mode de ressenti. Et pourtant, jamais les islamistes n'ont été aussi faibles, à l'échelle de l'ensemble de l'Orient islamique, et c'est ce qu'ils parviennent à cacher par cette mise en scène terrible qui, du fait de la mondialisation des images et de la proximité que nous entretenons à présent avec ces sociétés musulmanes, n'arrive absolument pas à être appréhendée sans un véritable effort sur soi. Nous ressentons une proximité géographique effrayante avec le nord de l'Irak et le désert syrien, et il nous est impossible, à cette aune, d'imaginer que nous sommes tout au contraire en train d'assister aux spasmes d'un mouvement qui sera très probablement entraîné un jour ou l'autre dans une décadence irrémédiable ; mais à un coût en vies humaines encore inconnu, il faut en convenir.

Cette idée est totalement contraire à l'intuition, et pour procéder à cette démonstration nous allons d'ailleurs, sans trop lasser la patience du lecteur, devoir procéder à un certain nombre de raisonnements intermédiaires qui sont indispensables pour comprendre la situation actuelle.

Rappelons-nous qu'il était très difficile au lendemain de Stalingrad, alors que l'armée allemande allait encore remporter des batailles importantes, notamment pendant le printemps 1943 (Kharkov), d'imaginer que le ressort même de la machine de guerre nazie était brisé, et que c'était une question de temps avant que celle-ci ne s'effondre. Certains généraux qui commençaient à comploter contre Hitler, certains Allemands, à tous les niveaux de la société, étaient peut-être plus conscients de l'état de décomposition avancé atteint par le régime nazi que d'autres. Néanmoins, les scènes les plus terribles qui sont attachées à l'histoire du nazisme se

11

situent précisément dans cette période de déclin irrémédiable, des camps d'extermination de Pologne à la liquidation du ghetto de Varsovie. En effet, la décision d'organiser de manière scientifique les génocides est, elle-même, immédiatement consécutive au premier échec des Allemands devant Moscou en décembre 1941. Certes, la solution finale avait déjà commencé dans les Balkans avec les Serbes, et en Russie occupée dès l'été 1941, mais de manière plus artisanale, et la grande période d'extermination des camps ne se déroule qu'en 1943, au moment même où l'armée allemande est en train de s'écrouler un peu partout.

C'est de cette même situation que nous sommes aujourd'hui les témoins. L'islamisme, qui a été un mouvement puissant, avec des ambitions très vastes à l'échelle d'un quasi-continent s'étendant du Maroc au Pakistan, et que j'appelle l'«Islam classique» (par opposition à l'Islam d'Asie du monde indien et de l'Indonésie ou encore de l'Islam africain, ainsi que des nouvelles communautés d'Europe et d'Amérique), est aujourd'hui arrivé à sa phase terminale. Celle-ci n'est pas belle à voir, et ceux qui tombent sous les coups de cet «Amok» incontrôlé n'ont pas de raison de se réjouir. Mais peut-être faut-il regarder de plus près ce à quoi nous avons et aurons affaire.

1.

Ce que nous voyons, c'est la première tentative, la plus radicale et la plus conséquente, d'installer des entités territoriales intégristes se réclamant du califat sur des portions entières du monde de l'Islam classique. Mais, entendons-nous bien, cette idée n'est pas aussi récente qu'on l'imagine.

Avant qu'al-Qaëda ne devienne une organisation subversive dirigée contre tous les Etats, «le groupe en fusion» fut d'abord une sorte de mouvement à tendance radicale, romantique, mais qui concentrait son action à l'intérieur même de l'Etat saoudien, en alliance avec les

monarchies traditionnelles, ou plus précisément leurs ailes conservatrices, bien
enracinées dans le pouvoir légitime.

Son père fondateur, Abdullah Azzam,
était un universitaire d'origine palestino-
jordanienne qui enseignait dans une
des universités les plus prestigieuses
d'Arabie saoudite. Sa réflexion por-
tait notamment sur la transposition du
marxisme à l'islam politique de manière
à féconder celui-ci. Il affirmait que la
doctrine marxiste, qui était fausse dans
son principe puisqu'elle niait Dieu, avait
malgré tout élaboré des solutions pratiques et techniques dont tout mouvement d'émancipation islamiste devait
s'inspirer. Il en retint en particulier deux
institutions qu'il faudrait émuler pour
les islamistes, dans leur contexte régional : le Komintern et la «Base rouge».

Le Komintern ou «l'Internationale
communiste» est né au lendemain de la

révolution d'Octobre, sous l'impulsion de Lénine. A la différence de la Deuxième Internationale qui n'était qu'un club amical de partis affinitaires, Lénine veut organiser le prolétariat comme un parti unique, répondant à un centre unique, pour l'instant situé à Moscou (mais il était prêt un jour à venir déménager ce centre à Berlin) et qui agirait comme le parti du prolétariat mondial, sans tenir compte des différences nationales. Cette idée trouve par la suite des applications pratiques étonnantes, comme l'envoi de délégués du «Centre» vers les périphéries qui fonctionneront comme les véritables «représentants en mission» de la Révolution française. Partout étaient présentes des directions officielles et nationales des partis communistes (plus ou moins influentes en fonction des talents inégaux des chefs locaux), mais il y avait toujours en coulisse des délégués du Komintern qui assuraient un suivi de l'action entreprise, donnaient des instructions, et parfois même destituaient tel ou tel dirigeant. Ils étaient enfin chargés de recadrer en permanence la stratégie de la direction locale en fonction de ce que le « Centre » imaginait.

Naît ainsi dans l'imagination d'Abdullah Azzam la nécessité de mettre en place un « Komintern musulman » : des délégués nommés par le Centre ou plutôt la « Base » (en arabe « al-Qaëda ») allant prêcher la bonne parole et transformant des mouvements encore sporadiques en branches d'une organisation mondiale. Cette vision organisationnelle sera appliquée à la lettre : on connaît par exemple le Jordanien Khattab, délégué de ce Komintern musulman en Tchétchénie, qui s'efforça de sélectionner des alliés locaux chez les plus islamistes des combattants tchétchènes et de transformer ainsi, peu à peu, une insurrection nationale contre la Russie en un jihad officiellement proclamé, et qui, dans la phase finale de la guerre de Tchétchénie, l'emporta clairement sur les forces nationalistes plus laïques.

La même opération fut tentée au Kosovo où elle échoua, les Albanais n'étant pas prêts à suivre les recommandations d'un «parti mondial» basé dans le monde arabe. Mais elle fut couronnée de succès en Afghanistan où le mouvement des Talibans, hostile au régime instauré à Kaboul par le commandant Massoud, incarna le bras armé d'une insurrection qui, d'abord tribale, acquit des ambitions plus larges, géopolitiques, d'abord régionales, puis universelles à la veille du 11 septembre 2001.

Le second modèle institutionnel d'al-Qaëda vient de Mao : la «Base rouge». Après avoir tenté des insurrections, notamment dans les villes de Chine du Sud, dont l'échec l'ébranla fortement, le parti communiste entama sa «Longue Marche», traversée de la Chine de part en part par une armée de volontaires essentiellement intellectuels et ouvriers, mais qui se fondirent avec la population paysanne, pour atteindre, à la fin de leur odyssée, la région la plus déshéritée de la Chine, le Shaanxi. Il installèrent à Yenan un petit embryon de «Chine soviétique» qui devint le point de départ de la nouvelle révolution chinoise, victorieuse moins de dix ans plus tard.

Abdullah Azzam pensa qu'il était nécessaire de développer de petits embryons révolutionnaires, ainsi que des «Bases rouges» territorialisées, et que l'un des objectifs primordiaux d'al-Qaëda serait alors de fédérer peu à peu cet archipel de territoires libérés, jusqu'à converger vers les régions plus riches et plus centrales du monde islamique.

Dans cette théorie aussi, le centre et la périphérie ne sont pas une seule et même chose. La périphérie est toujours déshéritée, comme le Shaanxi et particulièrement la région du Yenan, dans la Chine du temps de Mao. Et comme dans la Chine des deux décennies révolutionnaires 1928-1948, où l'anarchie laissait la possibilité à des seigneurs de la guerre rouges d'exister à côté des autres, al-Qaëda porte un intérêt tout particulier à ces territoires mal tenus par des constructions politiques précaires, qui se tribalisent faute d'Etat, et où l'organisation peut s'insérer, sans dommage, depuis le grand vide saharien jusqu'aux montagnes afghanes et aux terres de transhumance de Somalie.

On note ainsi une série de tentatives d'implantation dans ces zones en décomposition du monde musulman : au Soudan et sur ses confins (Tchad et Centrafrique) toujours minés par des guerres civiles et des guerres étrangères, au Kosovo (tentative vite détournée par les services secrets allemands qui veillaient au grain si près de leur territoire), en Ouzbékistan ou au Yémen. Il y eut plus sérieusement une tentative de prendre en main l'insurrection tchétchène et de la diffuser dans tout le Caucase. Enfin, al-Qaëda décida de s'installer en Afghanistan, grâce aux liens serrés du pays avec le Pakistan et l'armée pakistanaise, mais aussi parce que la situation afghane était de loin la plus mûre. Le pays devint le centre névralgique du mouvement à partir de 1998, la véritable « Base verte » à partir de laquelle, tel le point fixe d'Archimède, le monde allait être soulevé.

Oussama Ben Laden et Abdullah Azzam avaient auparavant cherché à installer un modus vivendi entre la monarchie saoudienne et leur propre mouvement, accord tacite qui permit plus tard à Oussama Ben Laden d'être accompagné dans ses pérégrinations successives par les services secrets saoudiens sans qu'ils ne lui nuisent jamais totalement. D'ailleurs, le prince Turki, chef tutélaire de ces services secrets, fut limogé à la veille du 11 septembre 2001, précisément à cause de l'ampleur des échanges, devenus compromettants, entre Saoudiens officiels et militants d'al-Qaëda, lesquels s'étaient poursuivis pendant toutes ces années.

En difficulté dès leur arrivée au Soudan en 1997, Oussama Ben Laden et ses amis parviennent vite à la conclusion que le régime taliban, que les militaires pakistanais sont en train de mettre en place sur les ruines d'un Afghanistan en totale décomposition, peut être transformé en ce point fixe qu'ils recherchent obsessionnellement. C'est ainsi qu'Oussama Ben Laden, son adjoint l'Egyptien Ayman Zawahiri, et quelques autres s'installent à Kaboul à partir de

1998 et bénéficient de tous les avantages d'un quasi-Etat, y compris quelques avions de transport, pour préparer une offensive sans précédent à l'échelle de l'ensemble de la région islamique. Une forteresse est édifiée à Tora-Bora dans les montagnes de l'Hindou Kouch, soi-disant à l'abri des bombardements aériens et des offensives terrestres, dans ce qui devait devenir un véritable «Yenan islamique».

A ce moment-là, Abdullah Azzam a déjà rompu avec Oussama Ben Laden. Tacticien plus fin que ses proches camarades, il s'était convaincu que la seule chance de faire avancer ces stratégies de rétablissement du califat était de maintenir un fonds d'alliance assez large, notamment avec la monarchie saoudienne, et de ménager quelque peu les Américains, ainsi que l'armée pakistanaise. C'est précisément ce que, dans son intransigeance révolutionnaire, Oussama Ben Laden refusa, épaulé par son allié intellectuel égyptien Ayman Zawahiri qui deviendra le véritable cerveau de l'organisation, et très vite le rival irréconciliable d'Abdullah Azzam.

Ce dernier est assassiné peu après l'arrivée de Ben Laden en Afghanistan, liquidation qui s'accompagne de quelques meurtres de ses partisans, les plus proches, notamment aux Etats-Unis. C'est le moment où al-Qaëda rompt le cordon ombilical avec l'islam conservateur saoudien et du golfe Persique, qui, non sans une certaine inquiétude, l'avait accompagné dans son mouvement ascendant.

Si on regarde Daech aujourd'hui, on s'aperçoit que les éléments de territorialisation qui caractérisent sa stratégie étaient déjà présents dans la théorie d'Abdullah Azzam. En particulier, Daech adapte brillamment ces stratégies à l'actualité en repérant dans l'Etat syrien et dans l'Etat irakien actuels, encore aujourd'hui très ébranlés, une zone en décomposition : les régions à forte majorité sunnite ont en effet subi en Syrie, et en Irak plus encore depuis la victoire des chiites provoquée par l'invasion américaine, une situation qui leur est intolérable à terme.

Ce qui amorce le mouvement offensif de Daech, c'est un regroupement d'origine militaire, celui des anciens cadres de Saddam Hussein alliés aux chefs tribaux arabes et sunnites, hostiles au gouvernement de Bagdad, qui ont toujours disposé facilement des armes en circulation généralisée et d'un territoire potentiel, lequel, sans être totalement viable, comporte un peu de pétrole commercialisable par la contrebande (davantage encore si on y inclut un assez grand gisement syrien), quelques ressources agricoles permettant de nourrir pendant tout un temps une armée permanente, et donne l'illusion que serait apparue à l'horizon une nouvelle forteresse inexpugnable.

Ce territoire de plaines qui se fondent dans le désert est certainement plus difficile à défendre que les montagnes afghanes. Néanmoins cette illusion stratégique de pouvoir l'emporter localement provient, avant tout, de l'effet des violences répétées de Bachar Assad du côté syrien et de l'exclusivisme chiite, certes moins terroriste, du gouvernement Maliki à Bagdad côté irakien, lesquels ont porté à incandescence le ressentiment des sunnites à présent réunifiés dans un même refus principiel du nouvel «axe chiite», Beyrouth – Damas – Bagdad – Téhéran. L'intolérance massive de ce double pouvoir chiite dans les deux Etats principaux du Levant assurait ainsi l'émergence d'une volonté, beaucoup plus large que celle du noyau intégriste, de se débarrasser une fois pour toutes de cette forme d'oppression sectaire.

Daech, le mouvement islamiste au Levant, est donc parvenu à jouer de cette fracture ouverte dans les deux Etats et, à une échelle jamais atteinte jusqu'alors, a réalisé pour l'instant ce rêve d'une territorialisation du jihad. Certes, cette territorialisation est dramatiquement discernable sur les confins irako-syriens, mais elle n'est pas complètement marginale ailleurs : al-Qaëda au Maghreb, qui à la différence de Daech n'a pas rompu avec la direction mondiale du mouvement en Afghanistan, a trouvé aussi, pendant tout un temps, le moyen de se territorialiser partiellement. Là, le mouvement est plus simple et plus clair : ce sont à l'origine des jihadistes algériens qui, à la différence du Front islamique du salut (FIS) officiel, ont refusé toute réconciliation avec le pouvoir de Bouteflika. Ce groupe qui s'intitula d'abord le «Groupe islamique armé» (GIA) naquit initialement comme branche activiste du FIS en insurrection contre le pouvoir d'Alger à partir de 1991, puis devint par la suite son rival déclaré, lorsque le FIS se mit à négocier une «paix des braves» avec le gouvernement algérien. Le GIA, qui refusait cette nouvelle logique de négociation, multiplia alors les attentats et les liquidations personnelles, jusqu'en France même, visant particulièrement les dirigeants du FIS les plus modérés; on lui doit ainsi le massacre du village islamiste de Bentalha puis celui des moines de Tibhérine. Après la victoire de Bouteflika et la mise en œuvre effective d'une union politique résultant d'une «réconciliation nationale» partielle, un certain nombre de groupes demeurés sous le contrôle du GIA, de plus en plus isolés, essayèrent de se replier dans des territoires désertiques du Sud saharien de plus en plus inaccessibles, et d'y maintenir des actions de guérilla, lesquelles furent très vite vouées à l'échec, en raison de la capacité des forces de répression algériennes de faire face à cette menace grâce à leur bonne maîtrise du terrain.

Plus qu'à moitié démantelé, le GIA se transforma alors pour les survivants en «al-Qaëda au Maghreb islamique» (Aqmi), opérant dès lors officiellement au Maroc, en Algérie, en Tunisie et en Libye. Il s'installa pour ce faire dans des territoires encore plus précaires que ceux de Daech : les zones désertiques abandonnées par les pouvoirs nationaux, au Mali, en Mauritanie ainsi que dans le Sud libyen après la chute de Khadafi. Il cherche tout particulièrement à s'implanter dans les territoires de la minorité touarègue, en sautant par-dessus les frontières officielles, depuis longtemps purement formelles.

Ces territoires, abandonnés de tous, illustrent les limites des frontières artificielles laissées ici par la colonisation française.

La conquête du Sahara se fit en effet en deux processus : d'abord à partir des unités de «chameliers» dépendant de l'armée métropolitaine française qui descendaient depuis le Nord de l'Algérie jusqu'à Tamanrasset ; puis arrivèrent un peu plus tard les «troupes de marine», l'infanterie coloniale, avec ses «méharistes» qui, eux, au départ de Saint-Louis du Sénégal, remontaient vers le nord. On décida à Paris de créer des frontières administratives entre ces deux zones d'influence des troupes de marine et de l'infanterie métropolitaine, ce qui aboutit aux frontières actuelles, tirées au cordeau, lesquelles ne représentent rigoureusement rien sur le plan humain, séparant ainsi les Touaregs d'Algérie de ceux du Mali et du Niger.

Pour des raisons de géographie, à savoir que l'on accède plus facilement au

Sud saharien à partir du Sud sénégalais, qu'au Nord du Sahara à partir du Nord de l'Algérie, une grande partie du territoire touareg, l'Azawad, fut englobée dans l'Afrique occidentale française malgré son intense différence culturelle d'avec les régions africaines plus au sud. Très tôt, les communautés touarègues n'acceptèrent pas de se soumettre aux pouvoirs africains nés de l'indépendance à Bamako et à Niamey, quelles qu'en fussent les colorations idéologiques successives. Le gouvernement malien, qu'il soit communisant avec Modibo Keita, puis discrètement pro-français, et enfin libéral démocratique proclamé après les «Trois Glorieuses» locales, a toujours eu pour credo de contrôler étroitement les Touaregs, voire de les massacrer silencieusement.

Lorsque les mouvements touaregs gagnèrent en consistance, il était évident que les ambitions de Kadhafi n'y étaient pas sans influence. Souhaitant réunir tous les territoires sahariens sous son hégémonie pour encercler le Maghreb sédentaire, le dictateur libyen forme les cadres d'un «mouvement de libération de l'Azawad» composé essentiellement de Touaregs maliens, chargé de déstabiliser tour à tour les Etats du Maghreb et d'Afrique noire, tous ennemis, à des titres divers, de la Libye. A la chute de Khadafi en 2012, le mouvement se partage ensuite entre des laïques plus traditionnels, et d'autres qui, par conviction ou par opportunisme, aspirent au contraire avec leur chef Ag-Ghali à obtenir le soutien des forces jihadistes maghrébines et africaines, de plus en plus importantes sur le terrain.

Répondant à leur appel, un certain nombre de pouvoirs et de personnalités du Moyen-Orient donnent de l'argent à Aqmi, afin de soutenir l'aile radicale du «mouvement de l'Azawad». C'est ainsi qu'Ag-Ghali, fort du soutien politique et militaire qui lui est accordé, ouvre les portes de ce territoire malien du Nord en train de se décomposer, à des jihadistes venus de toute la région, et se portant au secours du noyau algérien initial d'Aqmi.

Le résultat est impressionnant dans un premier temps : l'armée malienne évacue précipitamment ces régions désertiques où elle n'a jamais été très à son aise. Emerge alors, au centre du Sahara, une sorte de califat, certes beaucoup plus pauvre que les précédentes tentatives, mais néanmoins regroupé sur un territoire homogène qui s'étend jusqu'à Tombouctou, la ville sainte et arabophone de l'Islam du continent africain, où celui-ci se livre à des déprédations comparables à celles que les Talibans avaient en leur temps (1999-2000) commises contre les Bouddhas de Bâmiyân, inscrits au Patrimoine mondial de l'Humanité. On brûle des manuscrits très anciens, on coupe les mains des supposés voleurs et on tente d'intimider les musulmans africains les plus réticents au nouvel ordre.

Puis cette situation, par trop précaire, sera surmontée grâce à l'intervention courageuse de l'armée française : l'opération Serval. Mais les difficultés demeurent : la coalition intégriste battue retourne à une certaine forme de guérilla, tandis que le gouvernement local corrompu de Bamako se refuse, en dépit de tout bon sens, d'accorder l'autonomie et, par là, l'apaisement à ses territoires du Nord.

Enfin, le troisième élément de ce «califat africain» embryonnaire se retrouve au Nigeria, pays partagé depuis toujours entre un Sud qui, chrétien ou musulman, demeure très modéré et bénéficie de l'essentiel de la rente pétrolière nationale, et un Nord qui a traditionnellement exercé son ascendant culturel et politique sur les autres régions, mais dépourvu de pétrole, entré dans une situation de déclin relatif tout à fait évidente.

Ainsi, contrairement au reste du monde musulman, où les chefs traditionnels disposent du pétrole, et où les autres sont obligés d'en passer par eux, il en résulte une situation d'opposition inversée à l'intérieur de la démocratie nigériane, laquelle a déjà connu dans son Sud-Est une guerre de sécession à la fin des années 1960.

Un certain nombre de régions du Nord du pays organisent ainsi une sorte de «Pakistan noir» potentiel qui constitue désormais une véritable entité à l'intérieur du Nigeria, sur un tiers du pays. La loi en vigueur telle qu'elle a été proclamée par les assemblées régionales est la charia, et elle s'exerce sur sept grandes provinces autour de la métropole de Kano. A l'intérieur même du mouvement des partisans de la charia, une différenciation s'opère peu à peu, les chefs traditionnels, véritable aristocratie africaine, ne veulent que créer un meilleur rapport de force en leur faveur à l'intérieur d'un Etat nigérian qui resterait unifié et qu'ils acceptent encore comme tel. Cette tendance relativement modérée a le soutien de l'armée ; en face, des membres d'origine plus populaire veulent aller beaucoup plus loin. C'est parmi ceux-ci que naissent, vers l'an 2000, les éléments précurseurs de ce troisième mouvement jihadiste aux côtés de Daech et d'Aqmi : Boko Haram («l'instruction occidentale est impie»).

Pour comprendre l'apparition de cette nouvelle force, il faut revenir sur un phénomène trop sous-estimé : la disparition de l'animisme africain. En 1950, les animistes africains, qui croyaient encore en des dieux tribaux eux-mêmes en rapport direct avec les forces de la nature, représentaient l'élément spirituel dominant de ces régions ouest-africaines. Les chrétiens et les musulmans restaient

minoritaires, et profondément influen-
cés dans leur conception du monde par
ce terreau animiste. Mais, en l'espace de
quelques années, les conversions se sont
multipliées vers les cultes monothéistes,
de sorte que l'animisme a presque dis-
paru du paysage religieux, laissant s'af-
fronter deux groupes, de force presque
égale : chrétiens et musulmans. Véritables religions conquérantes sur le
territoire nigérian, ces deux religions
coexistent pour l'instant, mais dévelop-
pent ici ou là des formes assez agressives.

D'une part, l'efficacité prosélyte des
cultes évangéliques se réclamant d'un
protestantisme américain, plus affec-
tif et très militant, mord sur les fidèles
des Eglises catholiques les plus traditionnelles et sur les ouailles potentiel-
les de l'islam. Ainsi, les Evangéliques au
Nigeria ne se sont pas du tout contentés
de s'implanter dans les régions à dominante chrétienne, mais ils portent leur

parole jusqu'au cœur du Nord à majorité musulmane.

D'autre part, à l'inverse de l'islam
modéré qui prévalait encore au Sud du
Nigeria dans les années 1950, et que l'on
pouvait comparer à celui du Sénégal et du
Mali, s'installe peu à peu une religion très
doctrinaire, très sectaire, dont la forme
d'expression ultime est Boko Haram, qui
entend lutter contre les tentatives d'assi-
milation que réincarneraient l'Etat central
nigérian, la langue anglaise et les chrétiens.

A l'issue d'un parcours assez heurté
mais de plus en plus radical, Boko Haram
– aujourd'hui divisé en petites sectes, mais
toujours idéologiquement cohérentes –
souhaite détacher de l'intérieur même
de ce «Nigeria de la charia» des secteurs
particulièrement militants, et qui vont
effectivement s'autonomiser, échappant
ainsi à tout contrôle du pouvoir central.
Actuellement, Boko Haram possède ses

bases vitales dans le Nord-Est du Nigeria, lesquelles mordent sur le Cameroun voisin et sur le Tchad, zones qui permettent d'accéder à la route du pèlerinage, vers le Soudan d'abord, puis vers La Mecque ensuite. La région environnante est depuis longtemps marquée par un islam radical. Cette «ligne de vie» de l'islam traditionnel incarné par ces provinces du Nord du Nigeria pourrait devenir, dans l'esprit des dirigeants de Boko Haram, une nouvelle région sous le contrôle de l'organisation, devenue aujourd'hui une branche officieuse d'al-Qaëda. Mais Boko Haram, dans toutes ses composantes, se révèle aujourd'hui beaucoup plus intéressé par Daech que par al-Qaëda proprement dite, dont la branche syrienne s'est montrée, sur le terrain, beaucoup plus circonspecte, et la direction «universelle» hostile à la généralisation d'un affrontement général avec les chiites, que prône ouvertement Daech depuis sa fondation.

2.

Nous nous trouvons donc aujourd'hui face à quatre territoires qui aspirent à la restauration du califat. Tout d'abord, la région frontalière Irak/Syrie (premier front), ensuite les régions pathanes d'Afghanistan et leurs projections dans les zones tribales du Pakistan, où ni le pouvoir de Kaboul ni celui d'Islamabad ne sont capables d'organiser quoi que ce soit de stable (deuxième front) ; troisièmement ce qu'il reste des combattants d'Aqmi et de ses alliés dans l'Azawad (troisième front) ; et enfin «le chemin du pèlerinage de La Mecque» qui commence dans le Nord-Est du Nigeria, atteint la partie septentrionale de l'Oubangui et la République centrafricaine avec le mouvement Séléka (quatrième front). Dans l'esprit des plus fous, une réunification de l'ensemble de ces éléments ne serait pas à exclure un jour. Nous en sommes loin, mais pas dans l'intention de ses protagonistes, laquelle est ici la plus intéressante à considérer.

Oussama Ben Laden l'a proclamé dans un de ses premiers discours, diffusé au lendemain du 11 septembre 2001 : les musulmans sont en deuil depuis 1923, année où Mustapha Kemal abolit le califat. Jusque-là, il existait encore un pouvoir califal dans l'islam qui établissait la continuité théologique et politique de l'Etat instauré dès 622 par le Prophète à Médine. Après les quatre successeurs en ligne directe unanimement acceptés par tous les Etats de l'islam, il y eut encore deux dynasties qui régnèrent sur l'ensemble du monde islamique, les Omeyyades puis leurs successeurs, les Abbassides, de plus en plus diminués dans leur pouvoir temporel par l'écroulement de l'Empire et l'émergence à sa place de monarchies locales, plus ou moins clairement vassales.

Parallèlement les chiites «Fatimides», nés au Maghreb, instaurèrent après leur conquête de l'Egypte au Xe siècle un quatrième califat qui coexista avec les derniers des Abbasides à Bagdad. Saladin, en chassant les Fatimides du Caire au XIe siècle, se refusa à se proclamer nouveau calife, et l'institution disparut ainsi pendant trois siècles, au profit de diverses monarchies séculières. Puis après 1525, les conquérants ottomans de l'Egypte rétablissent le califat à leur profit sous l'impulsion des docteurs de la loi – oulémas – d'Al-Azhar au Caire. D'emblée les souverains chiites safavides d'Iran récusèrent cette restauration. Et le sultan d'Istanbul dut aussi accepter des délégations du pouvoir spirituel au Maroc, à la thalassocratie d'Oman ainsi qu'aux grands Moghols qui venaient de conquérir et d'unifier à nouveau l'Inde. Dans ses dernières années d'exercice, même si le calife ottoman de Constantinople n'exerçait plus vraiment un rôle religieux, on prenait encore très au sérieux cette fonction dans tout le monde musulman. Au fur à mesure que l'Empire ottoman s'étiolait, perdant peu à peu le contrôle de ses régions périphériques (mer Noire, Egypte, Maghreb et Balkans), le pouvoir temporel du califat fut associé à l'effondrement du pouvoir spirituel, pour disparaître complètement après la victoire de la Révolution républicaine en Turquie, de 1918 à 1923.

Il n'empêche que, comme nous l'avons vu, sous l'influence des doctes d'Al-Azhar, la grande faculté de théologie musulmane sunnite du Caire, quand les

Ottomans en 1525 se furent emparés de l'Egypte «perle de leur couronne», des pressions furent exercées pour que le sultan ottoman se déclare calife de tout l'islam. Le calife, au contraire d'un simple sultan (dont le pouvoir n'est que temporel), est le représentant direct de la volonté de Dieu sur terre. Il dispose donc d'un pouvoir, au moins théorique, beaucoup plus large : même lorsqu'il ne l'exerce pas directement sur tous les territoires de l'islam, il demeure néanmoins l'inspiration à laquelle se relient tous les musulmans de la Terre, ce qui fut le cas pendant quatre siècles encore, aussi bien au Maroc et à Oman que dans l'Empire indien des Grands Moghols, tous indépendants d'Istanbul sur le plan temporel, mais pas spirituel.

Dans le monde musulman contemporain, en effet, le califat demeurait symboliquement, même quand les Etats-nations eurent émergé sur les décombres du pouvoir ottoman, comme en Egypte dirigée par des aristocrates turcs et albanais voulant s'autonomiser de Constantinople après 1800, et même alors que des constructions étatiques brillantes comme l'Inde des Grands Moghols ont continué à exercer leur influence sans ingérence des souverains ottomans. Le recours au califat demeurait une référence ultime, et le pouvoir du calife était admis de tous sur le plan symbolique. Le mouvement le plus connu qui illustre cette rémanence, c'est celui qui anime toute l'Inde au lendemain de son abolition, appelé le mouvement Khilafat, «le mouvement pour le califat», dans lequel, en 1919, une majorité des musulmans de l'Inde, y compris les sympathisants du parti du Congrès, s'organisèrent pour défendre l'idée même du califat contre le pouvoir britannique réputé complice de l'abdication du dernier calife ottoman. Ce mouvement sera sans lendemain malgré le soutien de Gandhi, mais il exprimera la première amorce de ce que sera la partition pakistanaise, trente ans plus tard. Il faut aussi souligner que Gandhi avait cru habile de soutenir cette revendication pour souder les rapports des hindous avec les musulmans, minoritaires au sein du parti du Congrès, pour les abandonner par la suite en rase campagne, lorsque ce mouvement arriva à une quasi-faillite deux ans plus tard. Ce reniement opportuniste eut l'effet inverse de ce que Gandhi aurait souhaité à l'origine, la naissance d'un mouvement d'émancipation strictement musulman, aux évidentes potentialités séparatistes.

Pourtant, la modernisation progressiste commencée par Mustapha Kemal en Turquie, poursuivie par Mossadegh en Iran, puis par les intellectuels de formation britannique au Pakistan et par Nasser enfin en Egypte, ne parvient pas à un incontestable résultat laïque, dépourvu d'ambiguité. Il renaît, du cœur de ces sociétés, l'aspiration à retrouver une organicité du spirituel et du temporel, ainsi que des principes de vie qui soient réellement distincts de ceux de l'Occident et unificateurs de tous les musulmans. Cette renaissance s'appuie en ultime analyse, sur une conception politique : celle du califat, cadre idéal commun à tous les musulmans, pouvoir à la fois temporel et spirituel. Les mouvements islamiques aspirent dès lors à réorganiser dans cette direction toutes les sociétés se réclamant du Coran. Même les minoritaires, qui conservent le droit de pratiquer leur propre religion (chrétiens, juifs ou zoroastriens), mais certainement pas sur un pied d'égalité avec les musulmans, devront être affectés par une telle réorganisation. Le califat deviendrait ainsi à nouveau une organisation qui redonnerait son poids spécifique à l'islam, et d'abord sur le plan politique, par le contrôle du pouvoir d'Etat, désormais soumis de manière explicite à l'autorité de la loi islamique.

Emergent alors progressivement des partis qui contestent la laïcisation récente de la société, la laïcité de l'Etat, et considèrent que quand bien même le califat n'était pas encore rétabli, il demeurait l'horizon vers lequel il fallait progresser. Cette idée qui était assez philosophique, assez lointaine chez ses premiers défenseurs, égyptiens notamment, devient une conception politique de plus en plus prégnante dans plusieurs nations de l'islam, l'Arabie en particulier.

Les chiites, par leur doctrine même, sont quant à eux très réticents à l'égard du «califat». Ils considèrent qu'Ali, le quatrième successeur du Prophète, à la fois son neveu et l'époux de sa veuve, était le seul descendant authentique du califat instauré par Mahomet, et que les complots qui ont mis fin à ses tentatives courageuses de redressement étatique et moral de l'islam ont abouti, avec sa défaite, à la division du monde des croyants entre sunnites et chiites.

Selon eux, seuls les chiites sont détenteurs du véritable islam, celui qu'Ali et ses descendants jusqu'à la onzième génération ont essayé de faire prévaloir, malgré la persécution sunnite, au péril de leur vie. Pour les chiites donc, le sunnisme incarne un islam imparfait, et l'idée de maintenir ou de restaurer un califat après la mort d'Ali est très fortement contestable dans son principe. Avant le retour messianique de l'«Imam de l'Avenir», le «Mahdi», il y aura, au lieu d'un pouvoir califal, la recherche du consentement des plus hautes autorités religieuses.

Avec Khomeini et la révolution iranienne de 1979 s'imposera peu à peu la doctrine du pouvoir du Guide de l'Islam chiite. Mais cette conception de réunion des pouvoirs spirituel et temporel demeure très contestée en Iran même, et surtout dans l'Irak voisin, dont la plus haute autorité religieuse chiite, l'ayatollah Sistani, s'est prononcé contre toute fusion du pouvoir spirituel dans le pouvoir temporel.

Si on peut imaginer qu'un califat réapparaisse un jour il faut donc d'abord, pour les chiites de toute obédience, qu'il y ait un «retour du Messie», l'avènement du Mahdi, et une transformation de l'intérieur des sociétés musulmanes qui permette à ce moment-là seulement le retour aux califats des trois premiers «dirigeants inspirés» de l'islam : Abou Bakr, Omar et Ali, les seuls reconnus comme véritablement légitimes par les chiites, à l'exclusion de tous leurs successeurs (certains chiites, très minoritaires, les ismaéliens, ne se réclamant que de la suite des dix imams après Ali, au lieu des douze adoptés par le chiisme le plus important, celui qui règne notamment en Iran et en Irak).

Voilà pourquoi, chez les chiites, l'idée d'un califat n'est jamais réfutée ouvertement en tant que concept et programme pour l'avenir, mais elle est fortement mise à distance par le scepticisme de bon ton que l'on observe chez les lettrés vis-à-vis des approximations philosophiques et théologico-politiques du sunnisme.

C'est la raison pour laquelle, en commençant à se laïciser, le chiisme a fini par exprimer la résistance des Etats-nations sous-jacents à la communauté islamique, et de l'Iran tout particulièrement, vis-à-vis de l'idée d'une unification précoce de l'Islam. Le chiisme a ainsi fait très bon ménage avec le nationalisme, qu'il soit d'Iran ou d'ailleurs : dans les monarchies du golfe Persique, au Liban, en Azerbaïdjan, au Pakistan et même en Afghanistan, nous voyons des chiites prendre la tête de mouvements contestataires, voire libéraux, au nom de la distinction partout présente du spirituel et du temporel.

La force toute provisoire de la nouvelle doctrine de la révolution islamique qui a balayé le pouvoir du shah en 1979 va singulièrement compliquer la problématique iranienne avec l'apparition de conceptions nouvelles sous l'influence très perceptible du sunnisme intégriste, notamment égyptien. Bien entendu, la doctrine chiite traditionnelle aura continué d'exister dans son indépendance intellectuelle, particulièrement en Iran, mais les différences seront un temps masquées par la volonté de Khomeini et de ses partisans les plus ardents de propager une nouvelle doctrine radicale. Au fond le sunnisme révolutionnaire de l'idéologue égyptien Sayed Qotb aura pris, chez beaucoup de partisans de la lutte sans concession avec le shah, la place qu'occupait jusqu'alors la théologie chiite classique, non sans l'infléchir vers une conception proche du rétablissement du califat, «le pouvoir temporel du Guide».

Les lettrés chiites iraniens du début du XXᵉ siècle auraient réfuté sans hésiter la doctrine du califat comme l'expression d'un «messianisme précoce», une surestimation des capacités d'autotransformation de l'Etat laïque, et considéré que les partisans du califat n'étaient au fond que des auxiliaires zélés du pouvoir de Constantinople, pouvoir des Turcs ottomans qui ne rêvaient, depuis fort longtemps, que de placer l'Iran sous leur joug. Et à l'inverse, quand Nasser eut épousé une jeune Irakienne de confession chiite, personne n'a pensé à la qualifier comme telle. On pensait à l'époque que tous les musulmans, qu'ils soient sunnites ou chiites, faisaient partie d'une même famille, et que la doctrine du califat, telle que propagée par Al-Azhar, ne pouvait que compromettre cette réunification moderne de l'islam.

A cela s'ajoute l'échec du modernisme laïcisant de Mossadegh en Iran, qui radicalisera une partie du jeune clergé engagé dans la lutte contre le shah : Khomeini, au-delà de la frontière, regardait avec envie le développement des Frères musulmans égyptiens et pensait à le transposer un jour à Téhéran. A la veille de la chute du shah, un groupe de jeunes dignitaires demanda même l'abolition de la tradition chiite du débat théologique contradictoire, et qu'on en vienne à une doctrine chiite beaucoup plus absolutiste pouvant fonctionner par mandements («fatwas») comme le faisait le cheikh Al-Azhar en Egypte, le doyen des théologiens sunnites du Caire. C'est dire si le rapprochement entre chiites et sunnites était fort, c'est dire aussi que le ciment qui les rapprochait devenait intégriste et panislamiste, de sorte que, contre toute attente, la première révolution islamiste de la région devait être celle de l'Iran à partir de 1979.

Pendant un temps, Khomeini et ses partisans ont donc été perçus au Moyen-Orient comme des islamistes conséquents beaucoup plus que comme des chiites. Et la révolution iranienne était alors considérée comme généralisable à l'ensemble du monde musulman. Certes, le terme de «califat» n'était pas employé, mais il s'agissait bien, à terme, d'unifier tous les musulmans dans une doctrine unique et une organisation post-étatique commune à tout l'islam, qui rejetait l'Occident et créait les bases d'une identité nouvelle, révolutionnaire autant que conservatrice.

Cette idée trouvera un certain degré de confirmation sur le terrain lors de la prise de contrôle, en 1979, de la Kaaba de La Mecque par un groupe essentiellement égyptien et sunnite, Takfir wa Hejra. Les chiites de l'Est de l'Arabie Saoudite, le Hasa, organiseront alors des manifestations de soutien dans leur région, pour venir en aide à ces mouvements jihadistes sunnites aux cris de «chiisme, sunnisme un seul islam». Tel était l'état d'esprit qui prévalait avant la guerre de l'Irak contre l'Iran qui durera de la fin 1980 à 1988. Cette unité des intégristes de l'islam ne survécut évidemment pas à l'acte d'audace irréfléchi de Saddam Hussein lorsqu'il envahit l'Iran pour lui ravir, entre autres, son pétrole et sa puissance régionale.

Mais l'idée du califat continuait à demeurer vivante, au moins dans le souvenir de l'islam sunnite. Il est incontestable que tous les partis conservateurs qui se sont développés dans le monde musulman, depuis la fin des années 1920 jusqu'à la fin des années 1950, épousaient comme doctrine affirmée la condamnation de la suppression du califat par Mustapha Kemal. Selon eux, ce geste avait «plongé les musulmans dans les ténèbres», sonné le glas d'une fierté identitaire, d'une organisation religieuse clairement définie par rapport au reste du monde, de protocoles pour tous les musulmans, leur permettant d'organiser en commun leur société autour du respect de la charia – la loi convenablement interprétée – et d'un certain nombre d'institutions judiciaires et culturelles fondamentales.

Cette conception fut défendue avec plus ou moins de vigueur : le mouvement

«Khilafat», en Inde britannique, n'a été, on l'a vu, qu'une flambée sans lendemain, plutôt l'expression d'une nostalgie islamique et identitaire qu'un véritable programme politique. En revanche, l'Egypte, qui s'était déjà émancipée du pouvoir de Constantinople avec Mehmet Ali au début du XIXe siècle, a connu dès la fondation des Frères musulmans en 1928 une restauration en majesté de ce terme de califat, dans la pensée politique en premier lieu.

Et, il faut le dire aussi, la geste d'Ibn Saoud, le fondateur de l'Arabie saoudite, s'apparente à sa manière à cette conception fondamentale. Ibn Saoud, tenant local d'un sunnisme extrême, réussit avec la secte wahhabite qu'il dirige sur le plan temporel aux lendemains de l'effondrement de l'Empire ottoman et en substitution à celui-ci, à chasser les Hachémites, protégés des Anglais, de La Mecque. Ses partisans brandissent un étendard, inverse exact de celui de Mustapha Kemal. D'un côté, le drapeau rouge national et socialisant de la Turquie moderne; de l'autre, le drapeau vert sur lequel sont inscrits les versets du Coran d'une Arabie saoudite qui entend maintenir envers et contre tout l'islam traditionnaliste, et même le propager.

Ce qui empêche néanmoins les Saoudiens de se déclarer califes, c'est leur état de très grande pauvreté et, malgré tout, leur dépendance indirecte au pouvoir britannique, ainsi que leur respect inné pour Al-Azhar et pour l'Egypte. Ils considèrent encore que seule cette dernière sera en mesure de mettre en place un véritable califat, après de longues vicissitudes politiques dont personne ne discerne l'issue.

Faute de califat, Ibn Saoud crée malgré tout, pour lui et ses descendants, le titre de «défenseur des lieux saints», ce qui veut dire que les monarques saoudiens, sans exercer la fonction de calife, la préparent. Ils forment dès lors une espèce d'étape intermédiaire vers un rétablissement du califat, gage d'un islam authentique. Bien entendu la rivalité entre Ibn Saoud et les Frères musulmans égyptiens sera immédiate ; c'est celle qui oppose les Bédouins du désert, qui se ressentent comme les vrais successeurs du Prophète, aux paysans sédentaires de l'Egypte encore empreints aux yeux des Saoudiens de rémanences païennes et chrétiennes, et cette rupture est déjà perceptible dès les années 1920. Mais c'est bien dans cette aire à la fois saoudienne et égyptienne que naît au même moment l'idée d'une renaissance de l'islam politique traditionnel, repassant des mains désormais affaiblies des Turcs à celles des Arabes en pleine émancipation de leurs anciens suzerains ottomans. La découverte du pétrole au début des années 1930 changera complètement la donne en conférant à la théocratie wahhabite les moyens financiers de son ambition.

Après la victoire sur les Hachémites, Ibn Saoud se trouvera opposé à une réaction fondamentaliste dans son propre royaume, et il devra réprimer, avec l'aide de l'Angleterre, un mouvement révolutionnaire intégriste qui s'appelle déjà les Frères, les Ikhwan. Les partisans de cet islam puritain et égalitaire sont refoulés du pouvoir saoudien, et les islamistes égyptiens, qui commencent à se constituer, se prennent de passion pour ces révolutionnaires romantiques dont ils cultivent l'image. Et le vocable de «Frères» va réapparaître lorsqu'en 1928, l'instituteur Hassan Bana, le petit-fils d'un cheick Al-Azhar, crée de toutes pièces le mouvement égyptien des Frères musulmans, qui se veut à la fois confrérie d'éducation religieuse et organisation de lutte politique contre la colonisation britannique. «Les Frères» critiquent tout ce que les régimes modernistes ont voulu faire, depuis le Maroc jusqu'à l'Afghanistan et, dans le même temps, indiquent que les révoltes inévitables que cette laïcisation forcée sont en train de créer un peu partout seront un jour unifiées par une vision commune : le califat.

L'autre aspect qui apparaît, dès cette époque, dans les prodromes du mouvement islamiste contemporain, c'est une sorte de lunette à double foyer instaurant la stabilité d'une double focalisation programmatique. D'un côté, il existe un Etat constitué depuis l'émergence d'une sorte de royaume unifié d'Arabie, avec Ibn Saoud à sa tête, qui défend une conception tout à fait intégriste de l'islam : celle de la secte wahhabite. Cet Etat encore embryonnaire constitue un espoir de faire avancer l'islamisme dans son projet de reconquête globale.

De l'autre, un mouvement implanté au plus profond de la société sans doute la plus moderne de l'Orient à l'époque, l'Egypte. Le mouvement entend y combattre l'irruption de modernité qui existe au Caire depuis le début du XIXᵉ siècle, d'abord en opposition au pouvoir ottoman initialement plus conservateur, puis avec celui-ci après les réformes libérales provoquées par la guerre de Crimée. D'où le terme de Frères que les partisans de Bana choisissent pour opposer le lieu concret de l'islam à la citoyenneté abstraite, qui faisait des Juifs égyptiens, et surtout des Coptes chrétiens, une composante à part entière de l'Etat moderne.

L'arc sunnite naît ainsi, mais avec deux foyers certes alliés mais en rivalité potentielle : l'Arabie saoudite et l'Egypte.

On retrouve cette rivalité au sein même d'al-Qaëda, dans la dualité qui s'annonce très vite entre Oussama Ben Laden, membre apparenté de la famille

royale saoudienne, et Ayman Zawahiri, intellectuel égyptien de formation
initialement moderne, radicalisé dans
son opposition au régime, et bientôt en
rupture avec l'approche plus prudente
des chefs de la Confrérie demeurés dans
un statut de semi-légalité au Caire.

Nous trouvons donc ici un enchaînement assez ancien : une revendication du califat et plusieurs expériences
de territorialisation de l'islam intégriste.
Nous pouvons retracer avec une certaine
logique le chemin qui nous conduit dans
une véritable continuité programmatique depuis les Frères musulmans
jusqu'à Daech. Mais il ne faut pas exa-
gérer l'importance de cette continuité :
on pourrait aussi, pour l'Allemagne,
faire remonter à Nietzsche, puis à tout le
romantisme allemand et sa détestation
de la démocratie, perceptible aussi dans
la musique de Wagner, les composantes

principales de la doctrine politique de Hitler. Ce serait à la fois juste et faux, pour l'ensemble de ces cas spécifiques. Pour que Hitler apparaisse, il fallait des causes qui ne soient pas seulement données par une véritable continuité idéologique avec la réaction néoromantique antimoderne, et d'abord un climat très particulier, radicalisant et précipitant tout à coup ces éléments épars, pour les rendre explosifs et incommensurablement plus meurtriers.

Ce climat, pour l'Allemagne, c'est l'enchaînement d'une défaite militaire en novembre 1918, sans précédent depuis les guerres napoléoniennes, et d'une humiliation de toutes les élites allemandes, poursuivie d'un effondrement de la première hégémonie américaine, celle des années 1920, salvatrice de la démocratie de Weimar jusqu'alors, mais qui devient impécunieuse autant qu'impuissante avec la crise de 1929.

Naît ainsi la volonté de l'Allemagne de s'émanciper des liens internationaux qui, jusque-là, avaient assuré sa reconstruction, pour remettre sur le devant de la scène le modèle inventé par Fichte d'un Etat violent, autocratique, unifié par le nationalisme intégral et faisant un recours permanent à la guerre, en s'appuyant, en économie, sur un projet protectionniste.

Quel serait l'équivalent de ce canevas catastrophique dans le monde musulman aujourd'hui?

La réponse sera ici assez originale et contre-intuitive. Les physiciens qualifient ainsi ce qui, à l'instar des théories de la relativité et de la mécanique quantique, va à l'encontre de la perception commune immédiate et du bon sens apparent. Ici, en l'occurrence, Daech ne vient pas d'une espèce d'extension inexorable par cercles concentriques d'une influence qui partirait d'Al-Azhar et des quartiers les plus islamisés du Caire, pour progressivement gagner l'Egypte dans son ensemble, puis l'Arabie Saoudite. Nous n'assistons pas au résultat de la poussée linéaire d'un sentiment islamique incoercible, bien que l'intégrisme ait incontestablement remporté des succès divers et variés dans la région à partir de 1977, date de la première attaque de la Kaaba de La Mecque.

Daech ne provient pas directement de ce processus : il faut aussi tenir compte de l'échec massif que le jihad a rencontré, non pas dans ses terres fondamentales de naissance égypto-saoudiennes, mais dans des régions périphériques du monde musulman : l'Algérie, d'abord, avec la guerre civile des années 1990, perdue par les intégristes, l'Iran, ensuite, par la progression pacifique des idées réformistes et démocratiques depuis 1997, l'Irak, enfin, après l'effondrement de la tyrannie de

Saddam Hussein et la victoire progressive d'un mouvement chiite démocratique dont l'ayatollah Sistani est la figure tutélaire.

Si l'on considère en effet l'ensemble de ce monde musulman, on constate que les islamistes y ont été en permanence à l'offensive depuis 1977 la conclusion des et les accords israélo-palestiniens de camp David. Dans cette ascension, ils ont rencontré des succès non négligeables. On constatera tout d'abord la forte réislamisation de la société égyptienne. Les Frères musulmans s'y sont peu à peu substitués, dans la société civile, à l'emprise des Officiers libres au pouvoir. Puis s'y greffera le prestige, encore puissant à ce jour, de l'Iran de Khomeini, capable de tenir tête aux Américains et de constituer une alternative radicalement anti-occidentale de l'islam, finalisée à présent par une ambition nucléaire jusqu'à présent illimitée. Enfin, on assiste à la transformation progressive de l'islamisme turc en une force parlementaire, qui, incontestablement, avait peu à peu réussi à déstabiliser l'élite occidentaliste d'Istanbul, elle-même appuyée jusqu'alors par une armée imperturbablement laïque mais de plus en plus impuissante. Enfin, en Algérie, on a assisté à une montée en puissance considérable de l'islamisme et au déclenchement d'une guerre civile ravageuse au moment où cette force intégriste semblait approcher inexorablement du pouvoir.

Battu en Algérie, contenu en Turquie par la démocratie parlementaire et la liberté d'expression, l'islamisme sera ébréché en Iran avec les élections de 1997, qui confèrent la majorité absolue des suffrages à Mohammed Khatami, un jeune ministre réformateur de l'ayatollah Khomeini. L'étiquette qui désigne les partisans de la réforme iranienne du vocable «islam progressiste» apparaît alors. C'est ainsi que Khatami, ses amis et ses alliés tentent alors de mettre en marche une véritable déconstruction du régime islamiste de Téhéran. Cette tentative a certes été très disputée par les mollahs conservateurs en Iran. Mais on peut tout de même affirmer qu'à la veille de 2001, l'islamisme n'est plus véritablement à l'offensive, et qu'il a déjà été battu militairement en Algérie, renié par la société civile en Iran, et contenu et canalisé par un projet modernisateur pro-européen en Turquie, peu compatible avec les idées des fondateurs du parti, qui se résignent à leur marginalisation, à la veille du prochain triomphe électoral de l'AKP en 2003.

Plus tard, les choses évoluent néanmoins différemment, lorsque deux Etats laïques, la Tunisie et l'Egypte, s'effondrent avec le Printemps arabe de 2011, mettant ainsi les Frères musulmans en position d'exercer le pouvoir pour un temps dans ces deux pays. Beaucoup d'Occidentaux, les Etats-Unis d'Obama en tête, considèrent que cette arrivée des Frères musulmans au pouvoir était inévitable, voire souhaitable. L'Amérique va donc, dans la foulée, appuyer l'insurrection syrienne, qui, certes, comportait initialement dans ses rangs quelques forces laïques, mais était déjà largement dominée par les Frères musulmans syriens, sur le modèle de ce qui s'était passé en Egypte et en Tunisie. L'Amérique était déjà préparée à ce tournant stratégique depuis 2010 et le grand discours pro-intégriste prononcé par Obama à la barbe de Moubarak au Caire.

Et pourtant, dès le déclenchement des Printemps arabes, le mécanisme de la «vague islamiste» se grippe et rend difficile la victoire complète des intégristes de toutes nuances : la réémergence du chiisme dans la pureté retrouvée de sa doctrine y est pour beaucoup. Une de ces réémergences a été analysée avec lucidité par Ahmed Chalabi, rejeton de l'aristocratie chiite de Bagdad, qui a réussi à s'exiler au début de la révolution républicaine irakienne de 1958 en échappant de justesse à une liquidation extra-judiciaire, et qui, à partir des années 1980, devient un des porte-paroles d'une opposition irakienne qui se cherche encore et bénéficie de deux appuis extérieurs : celui de l'Iran, et celui de la coalition anglo-américaine, à partir de l'invasion du Koweït par Saddam Hussein en 1990.

De facto, Chalabi parvient à unifier deux stratégies apparemment opposées : celle de l'Iran et celle de l'Amérique. Les deux pays veulent faire tomber Saddam. Les Etats-Unis pour le punir de l'invasion du Koweït de 1990 et parce qu'il multiplie les ruses pour ne pas appliquer les accords d'armistice qu'il a dû signer après sa défaite militaire de 1991. L'Iran, de son côté, veut enfin faire payer à Saddam la terrible guerre que ce dernier a déclenchée en 1980, et parce que le peuple iranien se sent par ailleurs profondément solidaire des chiites irakiens, dont il estime qu'ils n'attendent que leur libération imminente. Ce n'est pas totalement faux : contrairement à ce que de bons esprits ont raconté en France, les soldats chiites irakiens qui n'étaient pourtant pas versés dans des unités spécifiques étaient surveillés en permanence par leurs officiers sunnites. Des barrages de gardes républicains existaient sur tous les fronts, et tous ceux qui essayaient de fuir étaient aussitôt abattus, selon la méthode instaurée par Staline en Russie pendant la Guerre Patriotique en 1941. C'est ainsi qu'un grand nombre de prisonniers chiites se sont retrouvés en Iran dans des camps de prisonniers, d'où ils étaient systématiquement élargis, tandis que presque tous les leaders d'opinion chiites choisissaient l'exil, qui à Beyrouth, qui à Amman, qui à Téhéran. C'est aujourd'hui le cas de Maliki, le président irakien démissionnaire qui a choisi tout un temps de s'exiler à Téhéran, comme de son rival plus laïque Iyad Allaoui qui, tout en étant marié à une sunnite, a à cette époque déposé des bombes au profit de l'Iran à Koweït City pour intimider les Emirats du golfe Persique dans leur soutien à l'Irak de Saddam.

Il y a donc une ambition rivale entre l'islamisme de facture égypto-saoudienne et le régime iranien, mais celle-ci n'est pas de nature totalement théologique, d'autant moins que Khatami introduit à partir de 1997 la possibilité à Téhéran d'un islam chiite à la fois plus traditionnel et plus libéral. Partout ailleurs du reste, le chiisme est déjà identifié à une sorte de libéralisme, politique tacite en Irak, à Bahreïn, à Abu-Dhabi et au Pakistan. Nous voyons ainsi émerger des personnalités chiites qui, toutes, incarnent une certaine ouverture, laquelle est elle-même inscrite dans la valorisation du pluralisme des interprétations de la théologie chiite traditionnelle. Tout front commun devient dès lors, à l'avenir, impensable entre les deux branches de l'islam.

Puis Chalabi va faire ce qu'il faut pour élargir la faille. Il tente d'abord de séduire la communauté juive des Etats-Unis, et certains hommes politique néoconservateurs qui en sont issus. C'est lui qui introduit auprès d'interlocuteurs sceptiques l'idée que Saddam demeurera politiquement faible, car l'Irak est une nation majoritairement chiite, et qu'en alliant cette puissance chiite émergente à la stratégie américaine, on peut militairement renverser Saddam sans grand problème politique ultérieur. Chalabi gagne des points à Washington, et les Iraniens, avec lesquels il maintient, dans le même temps, des rapports utiles, n'y sont pas hostiles. Ils vont même, dans la poursuite de cette logique, jusqu'à proposer aux Américains en 2001-2002, en cas de bombardement de l'Irak, d'aller récupérer leurs pilotes abattus ou de leur apporter différents types d'aide, essentiellement logistique.

Après l'invasion de 2003, le retournement stratégique devient évident. Les luttes de partis qui caractérisent, en fait, la vie politique iranienne, mais toujours souterrainement, deviennent totalement déchiffrables dès lors qu'elles s'étendent à l'Irak. A Bagdad, on peut rattacher à peu près chacun des partis irakiens émergents à leurs équivalents iraniens. Simplement, en Irak, ce sont d'emblée les réformateurs derrière l'ayatollah Sistani qui forment le groupe le plus puissant. Pourtant, dans la première année d'occupation américaine de l'Irak, le jeune mollah Moktada Sadr s'efforce par tous les moyens de déclencher une guerre sainte «contre l'envahisseur». Il tend aussi implicitement la main aux insurgés sunnites du Nord du pays encore fidèles au legs de Saddam Hussein. C'est la raison pour laquelle les éléments durs du régime iranien qui sont proches de Moktada Sadr continuent à négocier avec al-Qaëda grâce à l'asile accordé à une partie de ses dirigeants en Iran, à Yazd.

En même temps, la majorité de la population chiite d'Irak n'est pas du tout d'accord avec ceux qui veulent l'affrontement avec les Américains, et lorsque des services de «barbouzes» iraniens ou Moktada Sadr lui-même font assassiner le leader traditionnel le plus connu du chiisme irakien, le grand ayatollah Khöyi, un sentiment d'indignation secoue les chiites du pays.

La frontière est définitivement tracée entre sunnites et chiites lorsqu'en 2004, Moktada Sadr s'enferme dans la mosquée de Najaf, la plus sainte de l'islam chiite, pour contraindre les Américains à la bombarder et ainsi créer un climat d'antagonisme explosif. Son adversaire le plus résolu, le grand ayatollah Sistani, qui a succédé à Khöyi, organise une «marche de la paix» pour le contraindre à abandonner les lieux. Sadr doit ainsi quitter ainsi la mosquée de Najaf la tête basse, et, à partir de là, l'alliance entre les chiites irakiens et les Américains devient une évidence, qui déstabilise aussitôt le fragile équilibre iranien, et plus encore les sunnismes arabe et pakistanais, qui considèrent depuis lors les chiites comme des traîtres, de Beyrouth jusqu'à Lahore.

Ce nouvel antagonisme trouve un écho considérable en Arabie saoudite. Les faits sont connus : l'Arabie saoudite est un pays à 90% sunnite, mais elle compte aussi 10% de chiites qui travaillent pour la plus grande part sur les gisements de pétrole et de gaz de la province orientale, le Hasa, où ils sont encore majoritaires. Un ingénieur pétrolier américain qui écrivit ses souvenirs dans les années 1950 affirmait à ce moment-là que la situation des chiites en Arabie lui rappellait celle de «nos Noirs en Alabama».

En Arabie Saoudite, les chiites sont discriminés depuis belle lurette, et ils ont toujours été profondément hostiles à l'Etat saoudien, même s'ils savent que toute résistance armée serait vaine. De son côté, le gouvernement saoudien craint la naissance d'un mouvement politique chiite puissant sur le plan provincial, qui pourrait prendre des options de blocage territorial du pétrole, affaiblissant ainsi dramatiquement les bases mêmes de la richesse saoudienne, celle des hydrocarbures. C'est la raison pour laquelle l'Arabie saoudite n'a jamais cessé de subventionner les militaires pakistanais les plus anti-chiites, et également tous les mouvements anti-chiites dans le monde arabe, y compris le jihad sunnite en Irak. Le royaume considère que ces forces de violence délibérée constituent en fait la première tranchée de défense tout autour de ses frontières.

Très vite, les dirigeants d'al-Qaëda en Irak considèrent à leur tour les chiites comme l'ennemi à abattre. Ce qui explique qu'à partir de 2004, la guerre d'Irak ne soit plus dirigée essentiellement contre les Occidentaux, mais directement contre les chiites. partir de l'Irak naît une guerre civile chiite-sunnite qui se propage alentour, et c'est une simple question de temps pour que la mèche allumée à Bagdad développe ses effets un peu partout dans la région.

Bien entendu, il existe des forces de freinage à ce processus, au premier rang desquelles le régime khomeiniste orthodoxe qui n'a pas encore dit son dernier mot. Tout d'abord, les «durs» du régime iranien refusent obstinément de condamner al-Qaëda et maintiennent des liens informels avec le mouvement. Ensuite, voyant la gravité, peut-être même à terme l'irréversibilité de la situation en Irak qui contrarie leurs plus profonds desseins, ils feront tout pour mettre sur pied un grand mouvement d'unité, à la fois chiite et sunnite, qui exprimerait la réussite ailleurs, sur un terrain plus favorable, de la stratégie que Moktada Sadr n'a pas réussi à mettre en œuvre en Irak : ce sera l'alliance stratégique du Hezbollah libanais chiite et du Hamas sunnite intégriste palestinien.

On connaît l'histoire de l'évolution de ces deux mouvements : le Hezbollah naît dans les années 1980 d'une différenciation croissante des chiites et des sunnites au Liban, ainsi que de la transformation d'un mouvement nationaliste chiite Amal, orienté vers un compromis historique avec l'islam sunnite au sein de la société libanaise en un pur parti islamiste et chiite dirigé de fait depuis Téhéran. Devenu le parti guide de la communauté chiite, le Hezbollah est en effet complètement pris en main par l'Etat iranien. On l'a vu dans la guerre civile syrienne depuis 2011 : le Hezbollah a servi de force de frappe aux Iraniens pour venir soutenir Bachar Assad, qui manquait d'infanterie et combattait le dos au mur, abandonné de tous.

Quant au Hamas, il est le descendant ultime des Frères musulmans palestiniens, nés à Gaza dans les années 1960, mais peut-être plus encore sous son visage actuel de l'Intifada des mosqueés de Yasser Arafat en l'an 2000. Les Frères musulmans existaient certes de manière plus ou moins latente en Palestine depuis fort longtemps, Yasser Arafat fut d'ailleurs un des leurs dans sa jeunesse au Caire aux débuts du nassérisme. Néanmoins Nasser parvint à exercer un tel ascendant sur les masses arabes que pendant tout un temps le mouvement palestinien fut nassérien, ne commençant à le critiquer qu'à partir de 1965.

Avec l'effondrement progressif du projet nassérien, les Frères musulmans du Caire envoyèrent des hommes à Gaza, à l'époque territoire égyptien, pour créer des cellules islamistes clandestines, à la fois anti-nassériennes et proches des autres nationalismes, notamment syrien.

Jusqu'en 1967, le développement de l'islamisme palestinien était devenu presque clandestin, mais avec l'occupation israélienne, les rapports de force changent : l'OLP est certes présente dans tous les Territoires palestiniens mais elle a fort à faire à Gaza avec un noyau militant et islamiste, qui se refuse à se soumettre à l'autorité d'Arafat.

Lorsqu'Arafat désavoue en apparence la cause palestinienne sous sa forme radicale, en consentant en 1993 à une trêve longue et définitive avec Israël, des mouvements plus radicaux prospèrent instantanément. A partir du moment où la scission se matérialise au sein même du Fatah, avec l'émergence d'un un groupe majoritaire, partisan d'un compromis définitif avec Israël, et un autre opposé à cette idée qu'il assimile à une capitulation, il n'y aura pas de place véritable dans la tradition autoritaire palestinienne pour deux tendances rivales qui dialoguent dans une tolérance réciproque. Le Hamas récupère alors toute la mise avec son nouveau chef, Khaled Mechaal, au lendemain de l'échec de l'Intifada (vers 2002) et de la mort d'Arafat qui s'est radicalisé dans ses trois dernières années de présidence. Et lorsqu'Israël, sous la pression des Etats-Unis, laisse s'organiser des élections libres en 2008, le Hamas les gagne nettement et décide, après sa rupture avec l'Autorité palestinienne, d'instaurer son pouvoir étatique propre à Gaza, aussitôt renforcé par des subventions iraniennes et qataries de toute nature.

Pendant un temps, ce mariage entre Hamas et Hezbollah, plus réel sur le papier que dans la réalité, va se présenter comme le contre-feu de la guerre civile chiite qui fait rage en Irak. «Ne regardez pas ce qui se passe en Irak, c'est anecdotique, considérez plutôt ce que le Hezbollah et le Hamas ont réussi à faire dans la lutte contre l'ennemi israélien», nous répètent inlassablement les idéologues de Téhéran.

Cette situation est évidemment beaucoup plus favorable à l'islamisme dans son ensemble que la poussée de Daech que nous vivons à présent. A ce moment-là aussi, les Frères musulmans ont obtenu de très bons résultats en Egypte dès les élections semi-libres de 2008 : ils ont été majoritaires en Palestine, et ils contrôlent intégralement Gaza, où ils sont alliés avec l'aile dure du régime iranien, qui depuis 2005 et l'avènement d'Ahmadinejad, a repris, en trichant aux élections, le contrôle du pays. Le nouveau président iraniens et ses amis sont certes des extrémistes, mais pas nécessairement des extrémistes chiites. Ils détestent le pouvoir des mollahs et voudraient diminuer leur influence. Ils sont bien plus favorables à une alliance stratégique avec l'islamisme sunnite qu'à la réaffirmation d'une identité chiite, solidaire de l'émancipation irakienne.

La situation s'est donc améliorée aujourd'hui pour la raison suivante : l'Iran s'est d'abord lancé dans une fuite en avant pour réaliser, à marche forcée, son ambition nucléaire, dans laquelle il emporte le consensus d'une partie considérable de son opinion publique. Mais le degré d'affrontement avec Israël et les Etats-Unis auquel on parvient progressivement a été jugé insupportable par beaucoup de décideurs iraniens, publics comme privés : les sanctions ont pesé durement sur le mode de vie des Iraniens et les performances de leur économie. Enfin la surprise est venue, pour les dirigeants iraniens, de la volonté constante de la Russie comme de la Chine d'appliquer sans états d'âme les sanctions des Nations unies, voulues par les Occidentaux.

Les Iraniens se heurtent ainsi à un mur, de sorte que la réélection à nouveau truquée d'Ahmadinejad en 2009, puis sa chute progressive jusqu'à la fin de son mandat en 2013, ainsi que la décision des dignitaires religieux de sortir l'Iran de son isolement diplomatique, ont poussé les autorités du pays à mettre en place des élections libres et sincères en juin 2013. Celles-ci ont confirmé et amplifié ce que l'on savait déjà dans les grandes lignes : la profondeur et l'ampleur du sentiment démocratique à la base de la société.

Rohani est élu dès le premier tour, les Iraniens ayant ainsi sans aucune ambiguïté voté pour la paix. A partir de ce résultat, les choses se précipitent vers un retour rapide au climat favorable des lendemains de 2001, et même au-delà de ce simple retour à une situation de normalisation, qui n'était alors en réalité qu'apparente. L'Iran est en train de changer radicalement d'orientation et de préparer son retour sur la scène mondiale, comme un pays ouvert, pluraliste, pratiquant une démocratie chiite, certes imparfaite, mais en train de vivre sa perestroïka.

Cette situation aggrave considérablement les perspectives des rapports sunnites/chiites. L'Iran veut ouvrir ses frontières et s'oppose ainsi à un monde sunnite en voie de radicalisation, et notamment au pouvoir des Frères musulmans en Egypte. La guerre civile syrienne ne cessera de diviser les deux courants. Mais à terme, au-delà de cette rivalité transitionnelle, qui est aussi celle de l'Iran perse et des Arabes, n'assiste-t-on pas à l'amorce d'un consensus des politiques modérées en Egypte, au Maghreb et en Turquie, et des opinions chiites les plus progressistes en Iran, Irak, Pakistan et dans les pays du golfe Persique?

Ce moment de guerre ouverte aurait sans doute été évitable. Il y avait, au lendemain de la chute de Moubarak, un vaste

mouvement de démocratisation dans le
monde arabe. Les premiers manifestants
qu'on a vus sortir dans les rues à Damas
et Alep ne voulaient probablement pas
le renversement immédiat et total de
Bachar Assad, indétrônable dans tous
les cas, mais sans doute simplement une
réforme en profondeur du régime. Avec
une armée dont la direction en majorité alaouite lui demeure acquise, avec
notamment le contrôle opérationnel de
l'aviation et de l'artillerie, avec le soutien
inconditionnel des chrétiens qui éprou-
vent une peur panique d'une prise de
pouvoir par la majorité sunnite, avec la
neutralité favorable des druzes du Dje-
bel et même des kurdes du Nord-Est,
qui préfèrent le régime de Damas à un
quelconque gouvernement islamiste, et
avec, malgré tout, un noyau conservateur dans la bourgeoisie commerçante
de Damas, qui a peur de la révolution,
Bachar et ses soutiens regroupent au

moins 40% de la population syrienne, si ce n'est davantage depuis l'effondrement des oppositions modérées et laïques.

Quant aux 60% d'opposants sunnites qui lui demeurent hostiles, Bachar Assad a redoutablement bien joué malgré sa déréliction, puisqu'il les a radicalisés sans espoir de retour. A force de tirer à bout portant sur des civils désarmés, de torturer des enfants faits prisonniers, d'abattre sommairement ses opposants, il a vu les militants politiques les plus laïques se dissocier peu à peu du mouvement, de plus en plus caractérisé par son intransigeance islamiste : d'abord les Frères musulmans syriens, appuyés par la Turquie, qui ont dominé l'Armée syrienne libre, puis la franchise locale d'al-Qaëda, al-Nosra, et à présent les jihadistes de Daech.

Lorsque les premiers bombardements chimiques eurent lieu en Syrie, on entendit Rafsandjani affirmer devant une centaine de journalistes accrédités à Téhéran qu'il disposait d'informations sérieuses qui le conduisaient à penser que c'était bien l'armée syrienne qui avait utilisé son arme chimique contre ses opposants.

Jusque-là, on prétendait exactement l'inverse dans le camps des partisans de Bachar Assad. Les Russes avaient même inventé la fable selon laquelle ces armes chimiques devaient être d'origine irakienne, ayant été transmises par les jihadistes irakiens à leurs collègues syriens (ce qui signifiait d'ailleurs que Saddam disposait bien d'armes chimiques en Irak en 2003). Rafsandjani, en un coup, enjambe ce gris mensonge, et Obama dans la même journée décide de ne pas bombarder la Syrie. Le dialogue américano-iranien est donc déjà en marche, et permet au moins à ce niveau-là d'éviter les conséquences trop graves d'un affrontement. Neuf mois plus tard, l'accord américano-iranien de juin 2013 aboutit à un compromis intermédiaire dans le domaine nucléaire.

A partir de là seulement, toute la poudre accumulée dans la région va donner lieu à l'explosion spectaculaire, mais nullement incompréhensible, de Daech.

3.

Au départ de Daech, il y a l'histoire complexe et contradictoire de Zarkaoui. Petit voyou des quartiers pauvres d'Amman en Jordanie, il s'islamise rapidement et s'exile avec certains de ses amis pour participer au jihad en Afghanistan, à la suite d'une tentative manquée d'attentat contre la famille royale jordanienne. Le fait qu'il soit arrivé dans le pays avant Oussama Ben Laden laisse penser qu'il disposait déjà d'un noyau d'organisation, qui, lui, était directement subventionné par les services secrets pakistanais, ce qui explique qu'il ait été dès l'origine particulièrement anti-chiite, en fonction des données idéologiques spécifiques à l'armée pakis-tanaise. Il est vite exclu d'al-Qaëda en Afghanistan, en raison de ses désaccords avec Ben Laden lui-même, et surtout Zawahiri, mais reste sur le territoire. Il se rend ensuite en Irak grâce à la coo-pération étroite des services pakistanais et irakiens, et il est accueilli chaleureu-sement par Saddam Hussein, à la veille de l'invasion américaine. Au lendemain de celle-ci, Zarkaoui met sur pied une organisation de «résistance islamiste» dans toute la zone sunnite de l'Irak, et pour couper l'herbe sous le pied de ses adversaires internes, fait prêter à tous ses combattants serment de fidélité à l'imam Ben Laden.

Néanmoins, la présence de Zarkaoui et la stratégie qu'il impose sur le terrain en Irak ne font pas l'affaire de tout le monde, en particulier de Zawahiri, son rival his-torique. Islamiste égyptien qui croit dur comme fer qu'il parviendra à s'entendre à terme avec les Iraniens, il s'oppose radicalement aux méthodes de Zarkaoui (voitures piégées contre des mosquées chiites, coups de feu sur des cortèges de fidèles chiites, parfois même au mortier comme à Bagdad en 2007, assassinats de dignitaires religieux...). Zawahiri n'accepte pas cette dérive d'al-Qaëda en Irak et souhaite une réconciliation avec Téhéran, entraînant la base pakistanaise du mouvement dans une quasi-scission.

L'arrivée du général Petraeus à la tête des opérations en Irak va changer la donne. Inspiré par des manuels de contre-guérilla français de l'époque de la guerre d'Algérie, Petraeus décide de mener une guerre plus politique et de racheter un à un les chefs des tribus sunnites, lassés des violences et du racket permanent d'al-Qaëda, les armant bientôt contre Zarkaoui. Cette nouvelle tactique entraîne une grande rupture stratégique. Les chefs de tribu, garantis par les engagements des Américains, se rallient au nouveau pouvoir de Bagdad, qui leur assure des armes et de l'argent, tandis que les militants d'al-Qaëda deviennent de plus en plus isolés sur le terrain. Zarkaoui est abattu dans une embuscade. Un de ses lieutenants, «baghdadi», reprend l'organisation. Son actuel successeur, après la mort au combat des deux précédents chefs de l'organisation, a repris exactement même pseudonyme. Or il est aujourd'hui chef tutélaire de Daech. Le mouvement de Zarkaoui est au départ un mouvement issu d'al-Qaëda et violemment anti-chiite qui, pour cette raison, s'est de plus en plus autonomisé, surtout après la mort d'Oussama Ben Laden, lorsque Zawahiri prend officiellement la tête de l'organisation et décide d'accélérer, à cause de la faiblesse du

Centre, la filialisation des branches régionales : Aqmi au Maghreb, la péninsule Arabique, les Tribunaux islamiques de Somalie, l'Afghanistan et les zones tribales du Pakistan, le Caucase Nord, le Levant, et l'Egypte, cette dernière entièrement clandestine.

En Syrie, al-Nosra se conduit à l'opposé comme une force relativement modérée, alliée conciliante des Frères musulmans, et deviendra la cible des attaques de Daech, en lutte pour le contrôle de l'ensemble du processus insurrectionnel. Mieux équipés, mieux organisés, les combattants de Daech dominent ainsi al-Nosra, dont les partisans se rallient peu à peu aux plus forts ainsi que les gendarmes en retraite de Saddam dans tout le Nord sunnite de l'Irak, les chefs principaux de tribus bédouines très déçues par la politique sectaire de Maliki à Bagdad, et même son général en retraite de l'armée de Saddam Hussein.

Le monde musulman ne cesse ainsi de se diviser sur des critères confessionnels. Le pouvoir chiite a beaucoup déçu à Bagdad depuis le retrait américain achevé en 2009, Bachar Assad est certes dos au mur malgré quelques victoires significatives, l'Iran joue un rôle de plus en plus important pour le préserver, et s'ajoute à cette radicalisation imprévue un épisode rocambolesque : Mechaal, le chef du Hamas en exil à Damas, soutenu jusqu'alors par les Syriens et les Iraniens, décide de déménager en Turquie, et d'appeler lui aussi au jihad contre Bachar Assad, entraînant immédiatement une vague de persécussions de la poignée de chiites de Gaza. Cet incident met un terme définitif à l'alliance entre le Hamas et le Hezbollah, dernière forme d'unité chiites-sunnites qui persistât encore. Peut-on néanmoins vaincre rapidement cette irruption terroriste du sunnisme radical, aussi isolé qu'il semble?

La question de l'argent est ici primordiale. Les Saoudiens ont fait prévaloir une version édulcorée de leur rôle dans les affaires du Moyen-Orient, où, prétendent-ils, leur surabondance pétrolière a construit de nombreuses fortunes privées qui n'en font qu'à leur tête, de sorte que la monarchie saoudienne n'est plus capable de contrôler leurs investissements politiques contestables. C'est demander beaucoup de crédulité aux interlocuteurs occidentaux de la monarchie wahhabite. L'Etat saoudien, par schizophrénie politique, continue très discrètement de subventionner des groupes extrêmement violents, ici ou là, à la fois parce que cela correspond à son idéologie, mais aussi sans doute pour crever certains abcès de violence loin de son territoire. Ce double jeu est de moins en moins tenable.

Lorsque les Frères musulmans, ennemis de l'Arabie saoudite qui craint leur emprise sur l'ensemble de la nébuleuse intégriste, dirigent l'Egypte, les Saoudiens contre toute attente recueillent le président tunisien Ben Ali en exil, puis tentent de sauver Moubarak qu'ils ont toujours tenu pour excessivement laïque. Ils introduisent au sein de la politique égyptienne, en le subventionnant massivement dès sa création, un mouvement «salafiste» qui se présente tout à la fois comme plus intégriste que les Frères musulmans, mais, en réalité, beaucoup moins agressif sur le plan politique face à l'opposition laïque égyptienne. Ce mouvement soutiendra ensuite le maréchal Sissi et son gouvernement. Tout à coup, et pour la première fois depuis longtemps, l'Arabie saoudite se place délibérément en porte-à-faux vis-à-vis de l'islamisme politique qu'elle a toujours peu ou prou soutenu sous toutes ses formes.

Il faut bien avoir ce contexte présent à l'esprit pour considérer le rôle saoudien dans la guerre civile syrienne. L'insurrection islamiste devient dominante en Syrie quelques mois après le début de l'affrontement avec le régime d'Assad, début 2012, et dans les premiers instants on croit même cette insurrection victorieuse à brève échéance. Puis, grâce à l'aide russe et iranienne, mais aussi en raison du sectarisme affirmé de l'insurrection elle-même, les positions islamistes reculent. Les combats sont de plus en plus violents, et si Bachar Assad manque d'infanterie en raison des nombreuses désertions dans son camp, il n'est pas délogeable des points forts qu'il occupe toujours, et notamment Damas. Grâce au Hezbollah libanais, il reprend le contrôle d'un certain nombre de villes décisives qui ouvrent la route entre Damas d'un côté et la zone majoritairement alaouite sur la côte méditerranéenne de l'autre.

Au même moment, en Irak, Maliki limoge son vice-président sunnite qu'il accuse d'espionnage au profit de la Turquie, et mène une politique chiite ultra-sectaire, poussé par Téhéran qui lui impose une coalition avec l'imam Sadr qu'il combattait naguère les armes à la main. Le climat se tend et rend possible l'insurrection potentielle de toutes les minorités sunnites désormais stigmatisées comme intégristes. Entre-temps, Daech est parvenu à reprendre sur al-Nosra le contrôle de l'essentiel de l'insurrection syrienne d'orientation intégriste, tout en créant de bonnes relations avec la Confrérie des Frères musulmans

ainsi qu'avec l'Etat turc auquel il pro-
met de combattre les Kurdes syriens,
alliés depuis toujours du parti kurde de
Turquie, le PKK. Daech transfère alors
sur le front irakien une partie des armes
qui lui ont été accordées par la Turquie
et l'Arabie saoudite, pour combattre
Bachar Assad. La catastrophe est désormais en marche.

Baghdadi, bien que fort de cette ava-
lanche de victoires cumulées en Syrie
comme en Irak, se retrouve paradoxale-
ment dans une position stratégique assez
compromise. L'insurrection du Hamas
contre Israël s'est effondrée, et le Hamas
a entre-temps perdu tous ses appuis extérieurs à la fin de l'été 2014, sans avoir
enregistré de résultats probants. Les
Frères musulmans ne sont plus au pouvoir en Egypte, les Egyptiens ferment les
tunnels vers Gaza depuis qu'ils ont servi
à envoyer des insurgés salafistes qui ont

assassiné des gendarmes égyptiens dans le Sinaï. Les Iraniens ont coupé toute subvention à un mouvement, le Hamas, devenu résolument anti-chiite. La Syrie de Bachar et l'Irak leur sont résolument antagonistes. Dans cette situation, il n'y a plus aucune grande puissance pour appuyer les diverses formes de jihad sunnite, sauf sans doute la Turquie d'Erdogan. Mais pour combien de temps ? car Erdogan lui-même se trouve de plus en plus en difficulté en Turquie où l'opinion majoritaire veut avant tout se préserver de la contagion de la guerre, éviter un affrontement dangereux avec la vaste communauté kurde, naturellement solidaire de ses frères de Turquie et d'Irak, et d'éviter aussi une rupture, inéluctable à terme, avec l'Amérique et l'OTAN, si le double jeu transparent des islamistes turcs venait à se poursuivre.

4.

Evoquer l'éventuel succès de Daech est, dès lors, commettre une vaste erreur de jugement, et ce pour quatre raisons principales.

1) L'Etat islamique ne mord sur aucune «région utile» de la Syrie ou de l'Irak. Il parvient à unifier tous les terrains vagues semi-désertiques des deux pays, à l'exception de Mossoul qui est, certes, une grande ville de culture arabe. Ces régions sont pourtant trop faibles sur le plan de la densité de population et de la productivité de l'économie agricole pour lui permettre de constituer une «Base verte» réellement stable et indépendante de l'aide de ses voisins.

2) Les bases financières de l'opération sont déjà fortement compromises. Baghdadi et ses proches ont pris le pouvoir avec de l'argent venant de partout : du Qatar par priorité, mais aussi d'Arabie saoudite, de riches investisseurs sunnites égyptiens ou du golfe Persique. Cela suffisait pour lancer ses troupes à l'assaut en récupérant des armes lourdes sur le terrain, dont des blindés irakiens, mais il n'y a plus d'argent à présent pour financer aussi simplement le jihad. Il n'y a presque plus de pétrole exploitable en territoire sunnite syrien, et il n'y en a pas du tout dans la partie irakienne. En outre, la revente du pétrole de contrebande en Turquie s'avère de plus en plus difficile avec des groupes d'insurgés kurdes dressés partout contre Daech.

3) Malgré, malgré l'afflux de volontaires du jihad, les combattants de Daech n'ont plus d'alliés véritables à proximité. Le Hamas, certes, sympathise avec leur

combat mais ses troupes, cantonnées à Gaza, sont loin, et tout le reste du monde musulman officiel leur est plus ou moins hostile : les Kurdes, l'Iran, les régimes irakien, syrien et pour l'instant l'Arabie saoudite ainsi que le nouveau régime égyptien. Tous s'accordent sur sa prochaine chute et Daech a également ligué contre lui la coalition de toutes les puissances de la région, outre l'Occident et la Russie elle-même.

L'exception turque actuelle semble peu durable au regard des pressions saoudiennes sur le régime actuel d'Ankara et au regroupement de plus en plus résolu des oppositions laïque, musulmane conservatrice et kurde qu'Européens et Américains ne pourront qu'encourager, sans doute discrètement pour commencer.

4) Enfin, il faut noter la faiblesse stratégique du mouvement, qui ne sait

plus dans quel sens il doit aller, une fois qu'il s'est piégé lui-même dans le contrôle improductif d'un territoire trop grand pour continuer l'offensive et trop petit pour assurer l'extension de la conquête.

La menace doit néanmoins être prise au sérieux, les membres de Daech sont aujourd'hui les plus structurés et les plus déstabilisateurs des divers mouvements islamistes. Mais il est évident que le jour où les djihadistes pénètreront en territoire chiite irakien, ils se feront massacrer jusqu'au dernier par l'insurrection populaire des habitants appuyée par une aide multiforme de l'Iran voisin.

Car le phénomène le plus important dans cette affaire, c'est évidemment le retour accepté tacitement par l'Occident de l'Iran comme grande puissance tutélaire de l'Irak, et sans doute aussi à terme de la Syrie.

De là, deux évolutions possibles :
la première est le basculement saoudien. Même si les dirigeants saoudiens
actuels ont très peur des islamistes de
Daech, ils pourraient récupérer un jour
une insurrection sunnite plus modérée,
liquider Baghdadi et faire monter de
nouveaux dirigeants insurgés islamistes
plus acceptables pour la communauté
internationale.

Ils donneraient aussi le sentiment à
Erdogan qu'il a eu raison de poursuive
sa politique de résistante générale à
l'Occident et ainsi de constituer un bloc
sunnite Ryadh-Ankara, hostile au bloc
chiite en formation Téhéran-Damas-
Bagdad : ce serait alors l'amorce d'un
grand affrontement régional où Turquie
et Arabie saoudite se positionneraient
face à l'Iran, l'Irak, et la Syrie. Cette
situation ne serait évidemment pas souhaitable, ne serait-ce que parce qu'elle
permettrait aux cellules actives de Daech

de se replacer dans des positions moins exposées, tout en continuant à mener une lutte de tous les instants, contre les libertés et la paix dans la région.

Il y a une autre branche dans l'alternative : depuis la nuit des temps (1945), l'Egypte et l'Iran fonctionnent en opposition terme à terme. Entre 1945 et 1953, Mossadegh est le personnage le plus important de la politique iranienne. Le parti communiste y est puissant et le Mouvement iranien incarne un nationalisme de gauche qui n'est pas encore hostile à la démocratie. Puis en 1953, les Américains sifflent la fin de la récréation et le shah est rétabli par un coup d'Etat de l'armée alliée aux Etats-Unis. L'Iran devient alors un pays modernisé bien qu'oppressif, prospère et intrinsèquement modéré, au cœur de la région, sans bouger sur le plan politique jusqu'à la révolution islamique de 1979.

De 1945 à 1952, l'Egypte est tout à l'opposé, gouvernée par la monarchie débonnaire de Farouk et de ses amis les pachas traditionnels qui sont les alliés de l'Occident. En 1952, les Officiers libres leur prennent le pouvoir, chassent la monarchie et introduisent un régime révolutionnaire très proche dans son programme, au départ, de celui de Mossadeg nationalisant le canal de Suez et faisant de l'Egypte le « Grand Arrière » politique de tous les nationalismes arabes de gauche, grâce à Nasser.

En 1977, deux ans avant la révolution de Khomeini, l'Egypte signe la paix avec Israël, redevient le grand pays modéré qu'elle avait été autrefois, ouvert sur le monde entier. Pour la première fois depuis ce moment de juin 2013 où Sissi prend le pouvoir puis se fait confirmer par le suffrage de ses pairs, l'Egypte et l'Iran ont troqué leur vieil antagonisme pour une réelle convergence encore presque inaperçue.

La première décision de Sissi aura été pourtant d'arrêter tout soutien au jihad en Syrie, ce qui fait bien les affaires de l'Iran. L'armée égyptienne s'est aussi réconciliée tacitement avec l'armée syrienne, et ouvertement avec l'armée algérienne qui suit favorablement la résistance d'Assad à Damas. L'Algérie elle-même, tout comme l'Egypte actuelle, est en train de construire une alternative plus libérale de «despotisme éclairé militaire», qui se présente comme une solution viable pour un certain nombre de pays sunnites, après les chaos post-révolutionnaires du Printemps arabe. Dans ces conditions, il se crée une convergence *de facto* entre les tentatives de rétablissement de l'Etat par Sissi en Egypte, et les tentatives de déblocage de l'isolement international de l'Iran par Rohani.

Certes, on part bel et bien d'une guerre civile sunnite/chiite au Levant, et

Baghdadi a misé sur le rassemblement à terme de tous les sunnites autour de Daech, y compris donc de l'Arabie saoudite et même de la Turquie. A partir de la guerre civile syrienne et de ses opérations offensives en Irak, la seule solution durable pour ces intégristes ne peut donc être que de provoquer, à terme, une insurrection sunnite en Arabie saoudite dirigée contre la stratégie actuelle pro-égyptienne de la monarchie, ce qui renverserait la situation présente, de manière cette-fois ci radicale.

Malheureusement les choses ne sont pas ainsi que Daech et Baghdadi se les imaginaient dans leurs rêves les plus fous. Ni le Maghreb, ni l'Egypte, ni même l'Arabie saoudite ne sont tentés par un tel affrontement. En revanche, il est possible que, pour la première fois, un pôle sunnite égyptien et un pôle chiite iranien parviennent à s'entendre. Ce ne serait pas le califat espéré des intégristes mais un compromis historique, machiavélien au sens positif du terme, qui mettrait fin à la force utopique et destructrice qu'est Daech aujourd'hui, qu'était al-Qaëda hier.

5.

Pour conclure. Tout d'abord, Daech poursuit le même raisonnement qu'Oussama Ben Laden avant le 11 septembre 2001 : faire basculer les pays sunnites arabes dans une guerre contre l'Iran, de même que Ben Laden voulait déclencher une guerre globale de l'Islam contre l'Amérique. Pour l'instant cette stratégie ne fonctionne pas.

Le seul allié qui reste à Daech est la Turquie, et c'est un paradoxe total. La Turquie est, de loin, le pays le plus laïque, le plus moderne et le plus proche culturellement de l'Europe par sa civilisation matérielle, même si les forces laïques et musulmanes modérées n'ont réuni que 46% des suffrages aux dernières élections présidentielles de septembre 2014, remportées par Erdogan. Mais c'était peut-être une victoire à la Pyrrhus : au même moment, le nouveau président est effectivement en train de perdre le soutien des élites turques, mêmes celles qui sont le plus acquises à l'islam, celles qui se retrouvent beaucoup plus dans les positions de son ancien associé Abdullah Gül, qu'il a humilié et qui représente toujours malgré tout une conception beaucoup plus acceptable et profonde de l'islam turc, sans compter l'opposition désormais radicalisée du quasi-chiisme turc des 20% d'Alévis. Car la majorité des Turcs ne sont certes pas chiites au sens propre du terme, mais ne reconnaissent pas davantage dans une quelconque orthodoxie sunnite, tant la sensibilité religieuse du pays a été façonnée au long des siècles par un soufisme en quelque sorte œcuménique.

Les confréries majoritaires en Turquie, même lorsqu'elles se déclarent, dans leur principe, sunnites, sont en réalité soufies et pratiquent le culte des saints, l'extase, tout ce que qu'Al-Azhar ou les wahabbites saoudiens abhorrent.

Le sunnisme turc est ainsi incompatible à terme avec le sunnisme saoudien ou même égyptien. Erdogan ne peut que se retrouver isolé dans la société turque en raison de ses nouvelles alliances contre-nature. Parce qu'il a gagné en mêlant dans ses discours des thématiques traditionnalistes avec un thème modernisateur, l'adhésion à l'Europe, pour lequel la droite musulmane entretenait moins de préventions que la gauche laïque turque, longtemps souverainiste, Erdogan a longtemps bénéficié de beaucoup de tolérance, en Turquie comme à l'extérieur, notamment aux Etats-Unis.

Mais à présent, il va trop loin : il planifie un retrait de forces de l'OTAN en cherchant à s'armer en Chine, il devient le grand arrière des jihadistes de Syrie, bientôt de l'Irak. On le voit aussi dans la manière avec laquelle il laisse les financements qataris ou autres parvenir directement au jihad. Erdogan défie ainsi la foudre, les meilleures bonnes volontés internationales qui lui étaient peu ou prou acquises s'étiolent, le bloc musulman grâce auquel il a gagné encore une fois les élections commence à se craqueler. A cela s'ajoute le fait que la négociation qu'il a menée avec les Kurdes de Turquie est directement menacée par la naissance d'un Etat kurde indépendant, formé des Kurdes syriens et des Kurdes irakiens, qu'il combat de plus en plus ouvertement.

Dans ces conditions, il est évident qu'un Iran redevenu démocratique exercera un fort impact sur la Turquie, exactement comme la révolution de 1906 en Iran qui a précédé de deux ans la révolution Jeune Turque de 1908. Un Iran qui sortirait de l'isolement serait le partenaire naturel de la Turquie, et notamment de la Turquie de gauche. Le secret le mieux gardé c'est qu'avant de devenir laïque, l'armée turque a été chiite. De la même manière qu'une partie de la gauche française est formée d'anciens protestants ou jansénistes, une bonne partie de la gauche turque est culturellement originaire d'un certain chiisme mal-pensant. La tradition laïque de l'armée notamment s'y enracine, et ne ménage aucune place pour le sunnisme radical à la saoudienne, celui des Frères musulmans aujourd'hui étroitement alliés à Erdogan, au Caire, à Gaza et ailleurs.

Daech est certes aussi un élément de reconfiguration de toute la région, mais avant tout un élément de transition, car la stratégie sunnite radicale qu'il incarne à présent ne peut aller que jusqu'au suicide. Bien entendu, si Heidegger avait dirigé à la place de Goebbels la politique culturelle d'une Allemagne toujours en dictature, si les généraux allemands inspirés par le grand géopoliticien Karl Haushofer avaient été écoutés par Hitler, l'Allemagne ne se serait probablement pas suicidée comme elle a commencé à le faire au lendemain de Stalingrad. Mais justement, retournons la table et disons qu'il y avait une pulsion suicidaire énorme dans l'Allemagne d'après 1918, et ce d'autant plus qu'elle s'affirmait distincte du reste de l'Europe, « culture contre civilisation ».

Le sunnisme traditionnel tel que l'Arabie saoudite l'a mis en œuvre, tel que les Frères musulmans ont essayé de le faire prévaloir pendant les deux années qui ont succédé au Printemps arabe, en Egypte et en Tunisie, pourrait tout aussi bien s'arrêter en chemin, à mi-pente entre démocratie et réaction. Mais la logique de la folie est peut-être à présent la plus forte.

Sans doute est-ce aussi parce qu'Oussama Ben Laden a eu un geste irréversible en s'attaquant à New York de manière efficace, tuant trois fois plus de monde que les Japonais à Pearl Harbour en décembre 1941. C'est dans le code génétique de ce sunnisme radical que de donner naissance à une organisation terroriste puissante qui défie le monde entier, faute de pouvoir imposer la moindre de ses solutions. Le défi de Baghdadi se place donc dans la même continuité que le défi d'Oussama Ben Laden. Il devrait aboutir à la même impasse, à condition de se montrer patient.

Dans cette conception, on retrouve toujours l'idée de la montée vers un affrontement apocalyptique. Le petit noyau qui s'était transformé vers l'an

2000 en jihad anti-américain s'est ainsi transformé à présent sur le terrain syro-irakien en un jihad anti-chiite et anti-occidental, à partir d'un territoire certes précaire mais susceptible de pouvoir rapidement déborder de ses limites vers la péninsule Arabique et La Mecque. Il y a dans l'idée crépusculaire de cette pensée stratégique arabe quelque chose qui conduit au suicide, et nous y sommes sans doute parvenus en cet automne de 2014.

Nous sommes donc bien confrontés aux mêmes symptômes, suicide et volonté d'anéantissement, commençant bien sûr par les victimes fantasmées du mouvement millénariste : chiites, chrétiens arabes, kurdes et yézidis, en attendant les juifs tant haïs. Mais il y a ici une importante différence avec l'Allemagne de 1942-1943. S'il y eut toujours une poignée de résistants courageux au

cœur du peuple allemand, et une partie croissante de ses élites pour refuser
cette logique d'auto-anéantissement,
jusqu'au coup de gong final de l'attentat du 20 juillet 1944, il n'en demeure
pas moins qu'une majorité d'Allemands
sont demeurés tétanisés par le poids de
l'idéologie nazie jusqu'à l'effondrement
final. Ici, au Moyen-Orient, nous assistons en fait terme à terme, au processus
contraire : entre le modernisme pro-
européen des Maghrébins et des Turcs,
le relèvement libéral du chiisme à partir
de ses deux points fixes iranien et irakien,
et la montée en puissance d'une Raison
d'Etat efficace, dès à présent en Egypte
et peut-être demain en Arabie saoudite,
l'armée du nécessaire redressement s'est
déjà levée. Et celle-ci provient du cœur
de l'Islam, non de ses périphéries mar-
ginales. Donc, comme le pape François
nous l'a répété à juste titre, après Sol-
jenitsyne et Jean-Paul II, «n'ayez pas

peur», les forces de la libération ont déjà entrepris leur marche ascendante. Elles ne demandent que notre aide.

Paris, octobre 2014

CET OUVRAGE A ÉTÉ COMPOSÉ
PAR DATAMATICS
ET ACHEVÉ D'IMPRIMER
SUR ROTO-PAGE
PAR L'IMPRIMERIE FLOCH
À MAYENNE EN NOVEMBRE 2014

N° d'édition : 18614 – N° d'impression : 87576
Dépôt légal : novembre 2014
Imprimé en France